Joasi

Nie martw się, Cukierku!

Waldemar Cichoń

Nie martw się, Cukierku!

ilustrował Dariusz Wanat

Redakcja i korekta
Lidia Miś-Nowak
Ewa Mościcka

Ilustracje
Dariusz Wanat

Tekst
© Waldemar Cichoń

© **Publisher**
Wydawnictwo Dreams
35-310 Rzeszów
ul. Unii Lubelskiej 6A

Rzeszów 2012
Wydanie I

ISBN 978-83-63579-13-5

Kotom wstęp wzbroniony!

Mama i tata Marcela spotkali się bardzo dawno temu – oczywiście ani mnie, ani Marcela nie było jeszcze wtedy na świecie. Oboje byli nastolatkami, chodzili do tej samej klasy, siedzieli w sąsiednich ławkach i przez trzy lata byli dobrymi znajomymi. Tata Marcela podobno poprawiał mamie wypracowania z polskiego, a mama Marcela pomagała tacie rozwiązywać zadania z matematyki, bo on z matmy zawsze był kompletną nogą… A potem nagle się w sobie zakochali i zostali parą. I byli nią bardzo, bardzo długo, aż w końcu postanowili się pobrać i założyć rodzinę. Na początku więc było ich dwoje, ale po jakimś czasie na świecie pojawił się Marcel. Następnie do rodziny dołączyłem ja. A teraz…

Marcel wpadł do swojego pokoju z uradowaną miną, podrzucił mnie do góry i szepnął mi do ucha:

– Cukierek, będziemy mieć rodzeństwo! Rodzice mi właśnie powiedzieli! Jako pierwszemu! A ja mówię tobie!

Zmartwiłem się. „Czy to znaczy, że przestanę być najmłodszym i najbardziej kochanym? A jak to rodzeństwo będzie mnie ciągać za ogon?".

Dni mijały. Mama Marcela robiła się coraz grubsza i grubsza. Zaczęła wyglądać tak, jakby połknęła piłkę. W końcu któregoś dnia spakowała dużą torbę i tata odwiózł ją do szpitala.

Wrócił po kilku godzinach, tasząc jakieś paczki. Razem z Marcelem zaczęli je rozpakowywać, robiąc mnóstwo zamieszania, i spod papieru, folii i styropianu zaczęły wyłaniać się jakieś drewniane elementy. To było szalenie interesujące. Usiadłem naprzeciwko nich i zacząłem się przyglądać, leniwie zaczepiając łapą jeden z papierków.

– Cukierek, będziemy skręcać łóżeczko dla dzidziusia – powiedział surowym tonem tata Marcela, patrząc na mnie spod oka. – Niech cię ręka boska broni, żebyś tam właził, jak już skończymy. Jeżeli cię znajdę w tym łóżeczku, to nie chciałbym być w twojej skórze! Od dzisiaj masz wzbroniony wstęp do sypialni. Musi być w niej czysto, a ty wszędzie zostawiasz sierść!

Posmutniałem. Czarny scenariusz zaczął się sprawdzać!

Tata z Marcelem zabrali się do pracy. Przeczytali instrukcję, podrapali się po głowach, znowu zagłębili się w opis montażu. Używając śrubokręta i specjalnego klucza zaczęli łączyć ze sobą drewniane elementy. Skończyli, ale coś chyba było nie tak, bo drapiąc się ponownie po głowach i marszcząc nosy, rozmontowali elementy. Po raz kolejny zajrzeli do instrukcji i na nowo zaczęli ze sobą wszystko skręcać. Ten scenariusz powtórzył się jeszcze kilkakrotnie. W końcu, wieczorem, łóżeczko było gotowe.

Marcel i tata przyglądali się swojemu dziełu z wyraźnym zadowoleniem. Przybili piątki i zanieśli narzędzia do garażu.

Oczywiście od razu wpakowałem się do łóżeczka. Przecież musiałem sprawdzić, czy jest wygodne! I było – cudownie miękkie i cieplutkie.

Tata Marcela wszedł do sypialni i złapał się za głowę.

– Cukrzyca, ty paskudo! – Zgonił mnie ręką z łóżeczka. – Przecież tu będzie leżał niemowlak! A ty, pchlarzu, zarazki rozsiewasz…

Czmychnąłem pod komodę, a tata Marcela, mamrocząc coś pod nosem, zaczął zmieniać pościel w łóżeczku.

Kiedy wyczołgałem się spod komody, zobaczyłem, że Marcel wycina coś z kartonowego pudełka po butach. Otrzymany w ten sposób okrągły kawałek tektury z zapałem pomalował czerwoną kredką.

– Zobacz, Cukierek – powiedział. – Specjalnie dla ciebie wymyśliłem nowy znak drogowy!

Mądrala. Odkąd zdał celująco egzamin na kartę rowerową, nie przestawał się popisywać.

– Jest podobny do znaku typu B-2, który oznacza zakaz wjazdu na drogę lub jezdnię pojazdów, kolumn pieszych oraz jeźdźców i poganiaczy – wymądrzał się. – A ten będzie zakazywał wjazdu kotom! Konkretnie tobie. Chociaż… poczekaj, chyba lepszy byłby znak typu B-41 – zakaz ruchu pieszych. To znaczy kotów. Ale jak cię znam, to najchętniej byś się nie ruszał, tylko spał. A najlepiej, żebyś dobrze zrozumiał, dodam jeszcze tabliczkę z napisem: „Kotom wstęp wzbroniony". Ale zaraz, czy ty umiesz czytać?

Ledwie Marcel skończył malowanie znaku i przykleił go taśmą do łóżeczka, zrobiło się zamieszanie, bo zadzwonił telefon. Tata odebrał, zbladł, powiedział: „Jestem za pięć minut" i zaczął biegać w panice po mieszkaniu.

– Marcel – powiedział. – Chyba się zaczęło… Pakuj się, będziesz spać u babci. Ja pędzę do szpitala, do mamy… Nakarm jeszcze kota, sprawdź, czy ma wodę w misce. Gdzie ja położyłem kluczyki od samochodu? Rany boskie…

W końcu, po kilku minutach biegania i rozgardiaszu, obaj wypadli z domu.

Polazłem do sypialni. Nie zważając na znak zakazu, wskoczyłem do łóżeczka, podreptałem chwilę w miejscu, żeby wygodnie się ułożyć, i zasnąłem. Tata Marcela wrócił nad ranem. Spojrzał na mnie nieprzytomnym wzrokiem, ale, o dziwo, nie powiedział ani słowa, tylko wziął mnie delikatnie na ręce, pogłaskał po grzbiecie, a potem mocno przytulił.

– Cukierek – szepnął mi do ucha, a oczy zrobiły mu
się wilgotne. – Jest! Marcel ma brata! Maćka. Strasznie
fajny, mówię ci. Śliczny. I taki pogodny. Cudny. Opo-
wiem ci więcej, tylko zmienię pościel w łóżeczku.

I, uśmiechając się, rozpłakał się jak małe dziecko.

Bardzo jestem ciekawy tego Maćka. To musi być
ktoś wyjątkowy, skoro na samą myśl o nim tata Marcela, który jest naprawdę dużym mężczyzną, się rozkleja.

Pożyjemy, zobaczymy.

Jak Maćkiem zasiał

Sypialnia rodziców, odkąd pojawił się Maciek, stała się dla mnie niedostępna. W dodatku nikt już nie zwraca na mnie uwagi! Ciągle tylko „Maciek" i „Maciek".

Nie lubię go.

W ogóle nie ma z niego pożytku. Wszyscy w domu chodzą teraz na palcach, mówią szeptem i panuje cisza. Bo jaśnie pan hrabia Maciej śpi! Kiedy ja śpię, nikt się tym nie przejmuje.

Już nazajutrz po przybyciu Maćka do domu tata Marcela zwołał rodzinną naradę i wprowadził nowe zasady.

– Siadajcie i słuchajcie – powiedział szeptem. – Mamy w domu noworodka. To oznacza, że musimy zmienić swoje dotychczasowe nawyki. Przede wszystkim proszę o ciszę. Maciek jest bardzo mały i potrzebuje dużo snu. Tak samo jak Cukierek, he, he, he...

Popatrzyłem na tatę z oburzeniem i chciałem zaprotestować miauknięciem, ale przypomniałem sobie o obowiązku zachowania ciszy.

Prychnąłem bezgłośnie i demonstracyjnie machnąłem ogonem.

– W domu ma być cisza jak Maćkiem zasiał! To znaczy, jak makiem zasiał, oczywiście – poprawił się tata Marcela. – Dotyczy to zwłaszcza ciebie, Cukierek. Odtąd żadnego toczenia piłek po podłodze – szczególnie w nocy! – miauczenia pod drzwiami, głośnego domagania się jedzenia i takich tam. Tak samo dotyczy to ciebie, Marcel. Koniec z głośnym słuchaniem muzyki, wrzaskami, trzaskaniem drzwiami. I żadnego upuszczania przedmiotów na podłogę! Nie chcę też słyszeć tłumaczenia, że coś zdarzyło się niechcący. Przede wszystkim dys-cyp-li-na! I samokontrola!

Po czym wstał i na paluszkach poszedł do kuchni.

Po chwili dobiegł z niej głośny huk, a potem brzdęk. Coś metalowego spadło na podłogę i przez chwilę turlało się po kamiennych kafelkach.

Drzwi sypialni otworzyły się i wyjrzała z nich zaniepokojona mama Marcela. Popatrzyła na tatę i z politowaniem pokiwała głową.

– Przepraszam, kochanie – wyszeptał skruszony tata Marcela. – Ja niechcący… Garnek mi spadł. Chciałem posprzątać… Po obiedzie…

Mama Marcela popatrzyła na tatę z jeszcze większym politowaniem i przyłożyła palec do ust.

Tata Marcela powolutku wycofał się do kuchni.

Po chwili w przedpokoju rozległ się głośny dźwięk dzwonka telefonu taty Marcela. Poznałem od razu – to była charakterystyczna melodyjka z jakiegoś starego serialu telewizyjnego.

Tata Marcela wpadł jak bomba do przedpokoju i rozpaczliwie zaczął przeszukiwać kieszenie wiszącej na krześle marynarki. W panice strącił wazon, który z głośnym hukiem spadł na podłogę i roztrzaskał się w drobny mak.

Drzwi sypialni otworzyły się i wyjrzała z nich naprawdę rozzłoszczona mama Marcela.

Tata Marcela zrobił niewinną minę i ostentacyjnie wyłączył telefon, po czym z powrotem schował go do kieszeni.

Mama Marcela zmrużyła oczy i popatrzyła na tatę złowrogo.

– Mógłbyś zachowywać się ciszej? – wyszeptała, nie próbując nawet udawać, że to prośba, a nie polecenie. – Pół godziny go usypiałam…

– Jasne, jasne, kotku – bąknął tata, zgarniając potłuczone szkło. – Ja niechcący…

Mama Marcela prychnęła bezgłośnie i zniknęła w sypialni.

Poszedłem za tatą do kuchni. Właściwie to wcale nie byłem głodny, ale nie miałem nic przeciwko drobnej przekąsce. Tata pił herbatę. Usiadłem naprzeciwko i wpatrując się w niego intensywnie, znacząco się oblizywałem. Zrozumie?

– Cukierek, nie naśmiewaj się ze mnie – mruknął zmieszany tata. – Każdemu może się zdarzyć. Nakaz zachowywania ciszy zostaje utrzymany. Bo widzisz…

– Miau!

– Bądź cicho! – zaniepokoił się tata Marcela, spoglądając w stronę sypialni. – Czego ty znowu chcesz? Wyjść? To chodź, wypuszczę cię… Tylko się nie wydzieraj.

– Miau! – zaprzeczyłem, ocierając się o jego nogi. – Miau! Miauu! Miauuuu!

Tata Marcela złapał mnie pod pachę i potruchtał w stronę drzwi wyjściowych. Tak się spieszył, że na zakręcie potknął się o porzucony tornister Marcela i wyłożył się jak długi na podłogę!

Łubudubu!

Tym razem nawet nie czekał, aż drzwi sypialni zaczną się otwierać, tylko, trzymając mnie nadal pod pachą, drugą ręką złapał kurtkę oraz buty i szybko wyszedł z domu.

Przez chwilę nasłuchiwaliśmy pod drzwiami, ale nie dochodził spod nich nawet najmniejszy szmer.

Tata Marcela sapnął z wyraźną ulgą, postawił mnie na ziemi, a sam szybko poszedł do garażu. Kiedy wracałem wieczorem do domu, chyba nadal w nim siedział – w oknie świeciło się światło, a ze środka dobiegało jakieś stukanie.

Swoją drogą, twardy sen ma ten Maciek! Po co się więc z nim tak cackać?!

Kotastrofa

– I gotowe! – powiedział bardzo zadowolony z siebie tata Marcela, wchodząc do kuchni z wiadrem i mokrą gąbką. – Jeszcze tylko froterowanie i nasz samochód będzie lśnił jak miska Cukierka w dwie minuty po nałożeniu mu jedzenia, he, he…

Otworzyłem leniwie jedno oko i spojrzałem na tatę Marcela z oburzeniem. Ostatnimi czasy pozwalał sobie na zbyt wiele! Te ciągłe żarty o moim spaniu, jedzeniu i wałęsaniu się już naprawdę przestały być śmieszne!

W sobotnie przedpołudnie wszyscy domownicy byli czymś zajęci – ja drzemałem na parapecie w dużym pokoju, Maciek spał w swoim łóżeczku, Marcel odrabiał lekcje z angielskiego, mama Marcela piekła ciasto na niedzielę, a tata w końcu zabrał się za mycie auta. Przymierzał się do tego od kilku dni i zawsze coś mu przeszkadzało – a to transmitowano w telewizji jakiś ważny mecz reprezentacji, a to musiał koledze pomóc w skręcaniu nowej szafy, innym razem pogoda na mycie była niesprzyjająca. W końcu mama Marcela powiedziała, że ma dość tych wymówek i wykręcania się od pracy – wręczyła tacie wiadro z wodą oraz gąbkę i zabroniła mu pokazywać się w domu, póki samochód nie będzie czysty.

– A brudny już był… – gadał jak najęty tata Marcela, nalewając sobie soku do szklanki i siadając na krześle. – Trzy godziny go myłem, mówię wam, strasznie się napracowałem. I dobrze, że przed deszczem zdążyłem, bo wieczorem ma padać. Teraz nasze autko postoi sobie czyste i jutro, kiedy ulice już wyschną, wyjedzie z garażu lśniące i pachnące!

Tata Marcela tak się rozgadał, że o dalszym spaniu nie mogło być mowy. Wstałem, przeciągnąłem się i podszedłem do miski. Niestety, świeciła pustkami, więc pobiegłem do ogródka.

Już miałem przeskoczyć na posesję sąsiada, gdy zobaczyłem przelatującego motyla. Zastygłem w bezruchu i zastrzygłem uszami. „No, poczekaj bratku – pomyślałem. – Zaraz będziesz mój…”.

Niestety, widząc mnie, motyl zmienił kierunek lotu i wpadł przez otwarte drzwi do garażu. Bez namysłu pobiegłem za nim.

Motyl, jakby czując, co się święci, pofrunął pod sufit. Wskoczyłem na maskę samochodu, odbiłem się od niej i… niestety, przewróciłem puszkę, z której szerokim strumieniem wylała się farba. Spadłem na półkę z jakimiś smarami, rozbiłem niechcący słoik, wpadłem łapami w kleistą maź, ale nie miałem czasu, żeby dokładnie przyjrzeć się, co to jest, bo motyl był już wewnątrz samochodu.

Z poślizgiem, przez otwartą szybę, wpadłem za nim jak bomba. Goniłem go przez chwilę, ale znów był szybszy. Wyleciał z auta, a potem, przez uchylony lufcik, z garażu.

Okienko okazało się zbyt małe, by zmieścił się w nim kot. Pognałem do drzwi, ale spotkała mnie przykra niespodzianka – ktoś zamknął je na klucz!

Usiadłem i spojrzałem na samochód.

Na tapicerce, siedzeniach i szybach było pełno odcisków moich łap. Na masce wiły się malownicze esy-floresy z rozlanej farby, a na dachu i podłodze leżały rozbite słoiki i jakieś stare pędzle. Bałagan na sto dwa!

„Na moje wąsy! – pomyślałem. – Ale narozrabiałem! I jak ja teraz stąd wyjdę?".

Wolałem na razie nie wzywać pomocy. Wskoczyłem do środka auta i położyłem się na przednim, najczystszym, siedzeniu. Postanowiłem poczekać, aż ktoś przyjdzie – może wtedy uda mi się niepostrzeżenie prysnąć.

Przymusowe uwięzienie postanowiłem wykorzystać na doprowadzenie przybrudzonego futra do porządku – przecież, jak już się uwolnię, nie mogę wyglądać jak flejtuch! Toaleta zajęła mi kilka godzin. Tak się nią zmęczyłem, że usnąłem. Tata Marcela miał rację – wyczerpujące są te porządki…

Po kilku godzinach obudził mnie szczęk kluczy w zamku. Zerwałem się na równe nogi, podbiegłem do drzwi. Kiedy się otworzyły, skoczyłem do przodu… i wylądowałem prosto w ramionach taty Marcela. Chyba nie był na to przygotowany, bo krzyknął, potknął się i przewrócił, lądując na pupie. W oczach miał strach. Nie czekając, co będzie dalej, czmychnąłem, gdzie pieprz rośnie. Z daleka usłyszałem tylko kolejny wrzask taty Marcela. Chyba właśnie wszedł do garażu…

Dla własnego bezpieczeństwa do domu wróciłem dopiero późnym popołudniem.

Wślizgnąłem się przez uchylone drzwi i cicho przemknąłem do pokoju Marcela.

– Nie musisz się bać, bo taty nie ma – pocieszył mnie Marcel, przynosząc mi po cichu miskę z kuchni. – Pojechał do myjni i przed chwilą dzwonił do mamy, że zejdzie mu tam do wieczora. A wiesz, jak mama się śmiała na widok bałaganu w garażu? I nazwała to jakoś tak fajnie – „kotastrofa". Czyli katastrofa spowodowana przez kota! Ale na wszelki wypadek lepiej się teraz, Cukierek, nie pokazuj tacie na oczy. A garaż najlepiej omijaj z daleka…

Tofik

Byliśmy akurat w domu sami z mamą Marcela, kiedy odezwał się dzwonek do drzwi.

– Proszę, proszę, zapraszam do środka – powiedziała mama Marcela, wpuszczając do domu jakąś panią we wściekle fioletowym sweterku.

– A ja tylko tak na chwilę, bo, pani sąsiadko, soli mi zabrakło… – krygowała się pani, wchodząc do środka.

„Coś jest nie tak" – pomyślałem, bo zaczęły mi drgać wąsy, a grzbiet sam się zjeżył i wygiął do góry.

Pani w fioletowym sweterku trzymała na rękach małego psa. To był yorkshire terier z przyczepioną do grzywki czerwoną kokardką. Gdyby mnie ktoś zapytał, co o tym sądzę, powiedziałbym, że nie można wyglądać bardziej głupio.

Oczywiście, kiedy tylko mnie zobaczył, od razu zaczął jazgotać jak opętany.

– O, macie kota?! – zdziwiła się z kwaśnym uśmiechem fioletowa sąsiadka. – No cóż, mam nadzieję, że nie będziecie wypuszczać go na dwór? To strasznie denerwowałoby Tofika, a on jest taki wrażliwy... Poza tym kot mógłby nabrudzić w ogródku i zniszczyć moje piękne róże...

Prychnąłem lekceważąco, zjeżyłem grzbiet i powoli, z dostojnie zadartym do góry ogonem, wróciłem do pokoju. Na wszelki wypadek wskoczyłem na parapet. Tofik nadal szczekał wniebogłosy.

Sąsiadka z mamą Marcela weszły do kuchni. Pies zeskoczył z rąk swojej pani na podłogę... i od razu pojawiła się na niej kałuża.

– To ze stresu – wyjaśniła sąsiadka, rozsiadając się wygodnie na krześle w kuchni i przyglądając się, jak mama Marcela ściera plamę. – Tofik po prostu nie cierpi kotów. Nie dziwię mu się, bo to obrzydliwe zwierzęta, brudzą, śmierdzą i roznoszą choroby.

– Cukierek jest czysty i bardzo grzeczny... – Mama Marcela próbowała stanąć w mojej obronie.

– Nie przekona mnie pani, moja droga – wyniośle odparła właścicielka Tofika. – Koty są po prostu obrzydliwe... Nie to co mniamusie kochaniusie pani skarbeczki, prawda, Tofiku? Nic się nie stało, moje kochane maleństwo – powiedziała do psa, całując go w pysk. – Idź sobie pobiegaj, a pańcia tu sobie porozmawia...

Sąsiadka dalej gadała jak najęta, a Tofik w tym czasie zaczął myszkować po naszym mieszkaniu. Przyglądałem się temu z parapetu.

Tofik zrobił kolejną kałużę w kącie pokoju. Potem podszedł do regału i zaczął szarpać róg jednej z książek taty Marcela. Nie przestawał przy tym przeraźliwie szczekać.

„Oho, zaraz mu się oberwie – pomyślałem z zadowoleniem. – Dostanie kapciem jak nic".

Tymczasem pies rozszarpał prawie cały grzbiet jednej z książek.

Mama Marcela wstała od stołu i odgoniła Tofika od
regału.

– Proszę go nie straszyć – odezwała się surowo sąsiadka. – Tofik jest bardzo wrażliwy.

– Ale książka… – zaczęła mama Marcela.

– To tylko przedmiot, moja droga – odparła zdecydowanym tonem sąsiadka. – Ja wychowuję Tofika bezstresowo. Uczucia zwierząt są bezcenne! No, idź się pobaw, moje ty kochanie – powiedziała do Tofika.

Tofik wlazł do mojego koszyka i zaczął szarpać leżący w nim kocyk.

Patrzyłem na to szeroko otwartymi ze zdziwienia oczyma.

„Na co ten bezczelny kundel sobie pozwala?".

Tofik znudził się szarpaniem kocyka i zaczął zbliżać się do mojej miski.

Tego już było za wiele.

„Ja ci pokażę!" – pomyślałem i zeskoczyłem z parapetu.

Podbiegłem, wyciągnąłem łapę i… pac, pac! – dwa razy naprawdę leciutko pacnąłem Tofika w nos.

Wrzasnął jak opętany, podkulił ogon i uciekł, skomląc, do swojej pani.

– O Boże, Tofiku! – wrzasnęła sąsiadka. – Moje biedne maleństwo! Co ci zrobił ten potwór! On cię zamordował! Wychodzimy natychmiast! Jedziemy do weterynarza! Moja noga więcej nie postanie w tym domu.

I wyszła, trzasnąwszy drzwiami.

Mama Marcela wybuchnęła śmiechem.

Bardzo się zdziwiłem. Myślałem, że będzie zła, ale ona – bezskutecznie usiłując opanować śmiech – pogłaskała mnie po grzbiecie i powiedziała:

– Cukierku, byłeś niegrzeczny. Nie wolno w ten sposób traktować gości, zapamiętaj to sobie na całe życie.

I dała mi kawałek tego łososia, który miał być na kolację, uwierzylibyście w to?

A wieczorem, przy posiłku, tata Marcela zapytał:

– Jak minął dzień?

– Miałam drobne kłopoty, ale Cukierek mnie obronił – powiedziała mama Marcela, puszczając do mnie oko. – Przy okazji: będziesz musiał skleić jedną ze swoich książek.

– A co się z nią stało? – zapytał tata Marcela.

– Bardzo zdenerwowała Tofika – odparła mama Marcela i roześmiała się, patrząc na nic nierozumiejącego tatę.

Jak porządny kot

– Cukrzyca, nie plącz się pod nogami! – upomniał mnie surowo tata Marcela po tym, jak wchodząc do kuchni, o mało mnie nie rozdeptał. Zawsze, kiedy jest na mnie zły, mówi do mnie „Cukrzyca". – Zobaczysz, znowu nadepnę ci przypadkowo na ogon i sam sobie będziesz winien!

Prychnąłem ze złością, zadarłem ocalony od przydepnięcia ogon i powoli, aby pokazać, że jestem obrażony, wyszedłem z kuchni. Akurat w miejscu, z którego mnie przegoniono, bardzo przyjemnie się spało, a nie wiem, czy wiecie, że sen zajmuje mi całkiem sporą część mego życia. Kiedyś nawet przespałem dwadzieścia godzin, a mógłbym i dłużej, ale zgłodniałem i się przebudziłem.

W kuchni nie było tak przyjemnie jak przed kominkiem, ale i tak akurat się w nim teraz się nie paliło, a kuchnia też miała swoje zalety. Po pierwsze, pod kafelkami było coś, co tata Marcela nazywał „ogrzewaniem podłogowym", i dzięki czemu podłoga była cieplutka jak kaloryfer. Po drugie, byłem blisko lodówki, więc w każdej chwili miałem możliwość wyżebrania czegoś smacznego do jedzenia. Wystarczyło poocierać się przymilnie o czyjeś nogi.

Ogrzewanie podłogowe było też w łazience, więc nie namyślając się długo, poszedłem właśnie tam. Kiedy tylko ułożyłem się wygodnie na podłodze i zamykałem oczy, o mało nie rozdeptała mnie mama Marcela. Wchodząc do łazienki z telefonem przy uchu, nadepnęła na moją łapę. Podskoczyłem, miaucząc głośno.

– Poczekaj chwilę – powiedziała do słuchawki i schyliła się, podnosząc mnie i przytulając do twarzy. – Moje koteczki niech się nie plączą pod nogami, bo nadepnę i będzie nieszczęście, ti, ti, ti… Zmiataj do koszyka, Cukierek.

Wystawiła mnie za drzwi, a sama wróciła do środka. Zaczęła się malować, nie przerywając rozmowy.

Zrezygnowany, zły i senny powlokłem się do pokoju Marcela. Przechodząc przez salon, smętnie popatrzyłem na zimny kominek. No tak, rozpalą w nim dopiero wieczorem, a biedny kot do tej pory będzie marznąć!

Jakoś dowlokłem się do pokoju Marcela. Ledwie zdążyłem wskoczyć na łóżko, wśliznąć się pod kołdrę i zwinąć w kłębek, kiedy do pokoju wpadł zdyszany Marcel.

– Zmiataj, Cukier, muszę zrobić porządek, będziesz mi przeszkadzał – powiedział. – Mama kazała mi zmienić pościel, zetrzeć kurze, wytrzepać dywan i poukładać rzeczy na szafkach. Znajdź sobie inne miejsce, ty leniu. Sio!

I zepchnął mnie z łóżka.

Tego było już zdecydowanie za wiele!

Obrażony na cały świat poszedłem do sypialni rodziców Marcela. To było ostatnie miejsce w domu, gdzie kot, przy sprzyjających warunkach, mógł się w spokoju wyspać.

Niestety, pech tego dnia prześladował mnie na całego.

Przechodząc przez duży pokój, zderzyłem się z tatą Marcela. Żeby nie nadepnąć na mnie, podskoczył jak piłka i nagle – łups! – wyłożył się jak długi.

Wolałem nie czekać na to, co będzie, jak wstanie, więc czym prędzej czmychnąłem pod komodę.

Kiedy tata Marcela przestał krzyczeć i poszedł do kuchni, żeby zrobić sobie okład na kolano, przemknąłem do sypialni.

Przeczuwałem, że tu też nie zaznam spokoju.

Oczywiście, miałem rację.

W sypialni było zimno jak w psiarni. Otwarte szeroko okno i leżąca na parapecie pościel świadczyły o tym, że mama Marcela postanowiła wywietrzyć pomieszczenie. Po co ludzie w ogóle robią takie rzeczy? O spaniu nie mogło być mowy. Byłem zrozpaczony.

Powlokłem się powoli w stronę strychu. Na szczęście tata Marcela, jak zwykle, zapomniał zamknąć właz, więc po drabinie mogłem wspiąć się na samą górę. Tutaj wskoczyłem do jednego ze stojących pod ścianą kartonowych pudeł ze starymi ubraniami (uff, też były otwarte).

Westchnąłem ciężko i zwinąłem się w kłębek, zakopując się, na ile się dało, w grube, wełniane swetry, po czym smacznie zasnąłem.

Śniło mi się, że słyszę jakieś nawoływania: „kici! kici!", odgłosy trzaskania drzwiami i kroki.

Kiedy się obudziłem, był już późny wieczór. Szybko zbiegłem na dół. Byłem głodny jak wilk.

W kuchni natknąłem się na tatę Marcela. O dziwo, ucieszył się na mój widok.

– Cukierek, gdzieś ty się znowu szwendał? – zapytał wesoło, nakładając mi do miski jedzenie. – Szukałem cię przez cały wieczór, przepadłeś jak kamień w wodę. Skaranie boskie z tobą: albo się plączesz pod nogami, albo znikasz. Nie możesz się zachowywać jak porządny kot?

Strasznie dziwni są ci ludzie.

Przygoda z orzechem

W ogrodzie za domem rośnie naprawdę wysokie drzewo. To bardzo stary orzech włoski. Słyszałem kiedyś, jak tata Marcela mówił, że zasadził go jeszcze jego dziadek! To musiało być rzeczywiście bardzo dawno temu.

Orzech jest naprawdę bardzo okazały i świetnie nadaje się do wspinaczki. My, koty, uwielbiamy łazić po drzewach – obserwujemy stamtąd swoje terytorium, wypatrujemy zdobyczy i innych kotów. To drzewo kusiło mnie od dawna. Siedząc na parapecie, często przyglądałem się jego rozłożystym gałęziom i rozmyślałem, jak wspaniale byłoby wdrapać się na jego szczyt.

Okazja, aby to sprawdzić, nadarzyła się dopiero ostatniej soboty.

Tego dnia mama Marcela wyszła do ogrodu, aby rozwiesić pranie do suszenia, i nie zamknęła drzwi, dzięki czemu udało mi się czmychnąć na zewnątrz.

Z łatwością wskoczyłem na pień i błyskawicznie wdrapałem się na najwyższą gałąź.

– Miauuu! – miauknąłem z zadowoleniem, donosząc całemu światu o swoim wyczynie.

Mama Marcela odwróciła się i z przestrachem spojrzała do góry.

– Och, och, Cukierek! – zawołała i pobiegła do domu.

Po chwili wróciła z tatą Marcela.

– Ależ kochanie – westchnął nieco zniecierpliwionym głosem tata Marcela. – To jest kot, a koty łażą po drzewach. Koty są nierozerwalnie związane z drzewami, tak jak ty z zakupami…

– Ale on się boi! – upierała się mama Marcela. – Zobacz, jak się trzęsie! Proszę cię, ściągnij go stamtąd, zanim zrobi sobie krzywdę.

– Trzęsie się z radości, że wyrwał się spod twojej opieki – odparł tata Marcela. – Jak mu się znudzi albo zgłodnieje, to zejdzie.

Tata Marcela miał rację. My, koty, mamy osiemnaście ostrych pazurów (jeśli oczywiście ktoś nie wpadnie na niemądry pomysł, żeby nam je przycinać) i doskonały zmysł równowagi. Dzięki temu jesteśmy naprawdę dobrymi akrobatami, bardzo rzadko nam się zdarza stracić równowagę. Trzeba być wielkim fajtłapą, żeby spaść z drzewa.

– Miauuu! – potwierdziłem dumnie słowa taty Marcela.

– Słyszysz, jak żałośnie miauczy? – spytała mama Marcela, dodając kategorycznie: – Proszę cię, ściągnij go z tego drzewa!

Tata Marcela westchnął i gdzieś poszedł. Po chwili wrócił z książką o kotach, którą Marcel dostał na urodziny.

– *Wspinanie się na najwyższe nawet drzewa jest jednym z najczęściej obserwowanych zachowań kotów domowych wychodzących na zewnątrz* – przeczytał. – *Po co koty to robią? Aby, jak ich dzicy kuzyni, obserwować*

obszar uznawany za swoje terytorium i wypatrywać
zdobyczy czy konkurentów.

– Zobaczysz: spadnie i połamie sobie łapki! – zawołała mama Marcela, patrząc z przerażeniem, jak huśtam się na gałęzi.

– *Widząc swego kota na wysokiej gałęzi, przewrażliwiony właściciel najczęściej sądzi, że jego pupilowi grozi upadek. Czy kota należy z drzewa ściągać?* – czytał dalej tata Marcela. – *Po pierwsze, jest to raczej niewykonalne, po drugie, niepotrzebne. Kot pozostanie na*

drzewie tak długo, jak ma na to ochotę. Pomimo ewentualnych przeszkód, wysokości, własnego strachu czy jakichkolwiek innych przyczyn, każdy kot prędzej czy później zejdzie na ziemię – kiedy już mu się na drzewie znudzi.

– Naprawdę będę spokojniejsza, jeśli go stamtąd ściągniesz! – powiedziała mama Marcela upartym tonem.

Tata Marcela westchnął, odłożył książkę i znowu gdzieś poszedł.

Wrócił z drabiną. Oparł ją o pień i zaczął powolną wspinaczkę.

Im wchodził wyżej, tym wyżej ja wdrapywałem się na drzewo.

W końcu znalazłem się na samym czubku.

Tata Marcela zatrzymał się na ostatnim szczeblu drabiny. Widać było, że nie ma ochoty na dalszą rywalizację.

– Cukier, złaź! – powiedział surowym tonem. – Przecież widzisz, że cię nie dosięgnę!

– Miau! – zaprotestowałem, bo nie miałem najmniejszej ochoty schodzić z drzewa.

– On się boi, a ty go jeszcze straszysz! – odezwała się z dołu mama Marcela.

– To jak mam go ściągnąć? – zirytował się tata Marcela. – Mam mu wysłać zaproszenie czy go zahipnotyzować? Przecież widzisz, że go nie dosięgnę!

– Spokojniej to zrób! – nadąsała się mama Marcela. – W końcu jesteś mężczyzną! Poza tym nie krzycz na mnie!

Mama Marcela odwróciła się na pięcie i weszła do domu.

Tata Marcela burknął coś niezrozumiałego pod nosem i niezgrabnie przeskoczył na gałąź drzewa. Drabina była chyba źle podparta, bo gdy tylko z niej zszedł, zachwiała się i z rumorem upadła na ziemię.

Tata Marcela nie mógł ani wejść wyżej, ani zejść na dół. Stał na grubej gałęzi, kurczowo trzymając się pnia.

Przez jakiś czas mierzyliśmy się wzrokiem (tacie Marcela pewnie było głupio wzywać pomoc). Chyba dopiero po godzinie z domu wyszła mama Marcela. Z trudem maskując uśmiech, przystawiła drabinę do drzewa.

Tata Marcela z kwaśną miną powoli zszedł na dół. Zostałem sam. Po chwili znudziło mi się i zrobiłem to samo.

Oczywiście schodząc po pniu, a nie po drabinie.

Zupełnie nie wiem, dlaczego do wieczora tata Marcela nie odezwał się do mnie ani słowem…

Tata Marcela ogląda mecz

Dziś po południu wszyscy mieliśmy zachowywać się cicho i grzecznie. Tata Marcela zapowiedział, że w telewizji transmitują bardzo ważny mecz reprezentacji i on chce go spokojnie obejrzeć. Marcel zamknął się w swoim pokoju, żeby odrabiać lekcje, Maciek ucinał sobie popołudniową drzemkę, a mama Marcela robiła się „na bóstwo" w łazience. Ja, jak zwykle, wyłożyłem się przed kominkiem.

Tata Marcela siadł na kanapie i włączył telewizor. Na ekranie kilkunastu ludzi w śmiesznych strojach goniło po łące piłkę – mówię wam, była większa ode mnie – a wielu innych przyglądało się temu z krzesełek ustawionych jedno za drugim. Śmieszni są ci ludzie.

Też mi zabawa! Gonić piłkę – dużą i niewydającą żadnych dźwięków – i to jeszcze w tyle osób… Ja uwielbiam moją małą piłeczkę – turlam ją po podłodze, a ona wtedy zabawnie grzechocze, bo ma coś w środku. Tylko ostatnio gdzieś się zapodziała.

Pomyślałem, że dobrze by było coś przekąsić. O ile się nie mylę, mama Marcela kupiła dziś świeżą wątróbkę na kolację…

Usiadłem przed wpatrzonym w telewizor tatą Marcela, spojrzałem mu prosto w oczy i zamiauczałem głośno.

– Nie teraz, Cukier – powiedział, nie odwracając wzroku od odbiornika, zniecierpliwiony tata Marcela. – Nie przeszkadzaj. Zaraz trener zmieni ofensywnego pomocnika i zobaczysz, na pewno strzelimy gola.

Zamiauczałem jeszcze głośniej.

– Marcel! – zawołał tata Marcela. – Kot jest głodny!

– Muszę skończyć zadanie – odpowiedział ze swojego pokoju Marcel. – Jak teraz przestanę, to nie zdążę.

– Kochanie! – zawołał tata Marcela do mamy Marcela. – Czy mogłabyś… Kot…

– Jestem w wannie! – odkrzyknęła wesoło mama Marcela. – Nic nie słyszę!

Tata Marcela wstał z kanapy i, nie odrywając wzroku od telewizora, poszedł do kuchni. Jeśli w głębi ducha liczyłem na świeżą wątróbkę, to się przeliczyłem.

Tata Marcela zaczął otwierać wszystkie szafki w kuchni, mamrocząc: „Gdzie to kocie jedzenie, do diaska". Trwało to dłuższą chwilę, aż nagle z pokoju z telewizorem dobiegł jakiś hałas i tata Marcela szybko tam pobiegł. Wrócił po chwili rozzłoszczony.

– Strzeliliśmy gola, a ja tego nie widziałem przez ciebie, Cukier – powiedział oskarżycielsko.

Zamiauczałem przepraszająco i na pocieszenie zacząłem łasić się o jego nogi. Potem podbiegłem do lodówki, w której, jak przypuszczałem, była wątróbka. Miałem nadzieję, że tata Marcela zrozumie.

Nie zrozumiał.

– Kochanie, gdzie są te puszki z kocim jedzeniem? – zawołał w stronę łazienki zniecierpliwiony tata Marcela.

– Powinny być w szafce obok zlewu.

Tata Marcela zaczął szukać, ale z pokoju z telewizorem znowu dobiegł jakiś hałas, więc pobiegł tam z puszką mojego jedzenia w ręce.

„Tylko nie kurczak z marchewką" – pomyślałem.

Po chwili tata wrócił, spojrzał na mnie złowrogo i bez słowa nałożył mi jedzenie do miski. Spojrzałem na etykietę puszki – to był kurczak z marchewką.

Wróciłem do pokoju, ale nagle zachciało mi się wyjść na dwór. Usiadłem naprzeciw taty Marcela i zamiauczałem głośno.

Tata Marcela nie reagował.

Zamiauczałem głośniej i zacząłem drapać pazurami o oparcie kanapy.

– A psik! Ja oszaleję przez tego kota – sapnął tata Marcela. – Już przez ciebie przegapiłem dwa poprzednie gole! Czego ty znowu chcesz, Cukier?

Wstałem i zacząłem chodzić w kółko. Miauczałem przy tym przeraźliwie.

– Marcel! Wypuść kota na dwór! – krzyknął tata Marcela.

– Teraz nie mogę! – odkrzyknął ze swojego pokoju Marcel. – Odrabiam lekcje! Jak przerwę, nie zdążę. Sam mówiłeś, że mam skończyć przez siódmą.

– Kochanie! – krzyknął tata Marcela do mamy. – Czy możesz…

– Nie mogę, mam na twarzy maseczkę! – odkrzyknęła z łazienki mama Marcela.

Tata Marcela spojrzał na mnie z niechęcią, wstał, wziął mnie na ręce i szybko zbiegł po schodach na dół. Otworzył drzwi, postawił mnie na podłodze i powiedział:

– No, Cukier, zmiataj, byle szybko.

I pędem pobiegł na górę.

Wyjrzałem za drzwi. Było mroźnie, padał śnieg, brrr... Poszedłem w stronę mojego drzewa orzechowego, ale po chwili zaczęło mi być zimno w łapy, więc szybko wróciłem. Stanąłem przed drzwiami i zacząłem głośno miauczeć. Nikt nie zareagował, zacząłem drzeć się jak opętany.

Usłyszałem, że ktoś szybko zbiega po schodach. Drzwi otworzyły się i stanął w nich tata Marcela. Wyglądał na naprawdę rozzłoszczonego, czmychnąłem więc między jego nogami, wbiegłem po schodach na górę i wczołgałem się pod komodę. Tata Marcela będzie jeszcze bardziej rozzłoszczony, gdy wróci na górę – kibice w telewizji właśnie zerwali się z krzeseł, krzycząc: „Goool!!!”.

Tymczasem pod komodą znalazłem moją ulubioną piłeczkę! Postanowiłem pokazać tacie Marcela, że gram w piłkę nie gorzej niż ci zawodnicy z telewizora, i zacząłem się nią bawić. Wyturlałem ją na środek pokoju z głośnym grzechotem, a wtedy tata Marcela oderwał wzrok od meczu i spojrzał na mnie. Chyba miał zamiar coś powiedzieć...

W tym momencie padła kolejna bramka.

Tata Marcela wstał, powiedział niecenzuralne słowo, po czym wziął mnie na ręce i zamknął w sypialni.

Dziwne. Wydawało mi się, że lubi zabawy z piłką.

Trudy leniuchowania

– Cukierek, ty darmozjadzie – powiedział tata Marcela, drapiąc mnie za uchem. – Nic nie robisz cały dzień! Ruszyłbyś się w końcu sprzed tego kominka. Jakieś myszy łap albo coś…

„Myszy, dobre sobie – pomyślałem. – Kto łapałby myszy, kiedy w szafce pod zlewem jest spory zapas mokrej karmy, a obok niej ogromna torba z kocimi chrupkami? Sam je sobie łap! Myszy są interesujące nie dlatego, że dobrze smakują, tylko dlatego, że szybko biegają i można je gonić. Tylko komu chciałoby się polować w taki dzień jak dzisiaj?”.

Było deszczowe, leniwe, sobotnie popołudnie. Nie wiem, czy wiecie, że koty w takie dni kompletnie na nic

nie mają ochoty. Lubią tylko leżeć i bujać w obłokach, grzać futro i myśleć o niebieskich, kocich migdałach.

Przez chwilę rozważałem, czy nie powinienem miauknąć w odpowiedzi, bo zarzut był oburzający. Po kilku minutach doszedłem do wniosku, że kompletnie mi się nie chce.

Przekręciłem się tylko na drugi bok.

– No tak – roześmiał się tata Marcela. – I jeszcze mnie lekceważysz. Wiesz, Cukier, chciałbym żyć tak jak ty – tylko jeść, spać i mieć wszystko w nosie.

Teraz nie mogłem już nie zareagować. Otworzyłem jedno oko i z oburzeniem miauknąłem.

Ludzie zupełnie nie zdają sobie sprawy, ile kot musi się napracować, żeby sobie poleniuchować!

Po pierwsze, bardzo ważny jest wybór właściwego miejsca. Powinno być w miarę spokojne, żeby nie przeszkadzały żadne hałasy, na uboczu, ale z możliwością szybkiego dotarcia do kuchni, gdyby ktoś przypadkiem otworzył lodówkę. Wtedy trzeba błyskawicznie dobiec do kuchni i ocierać się o nogi. Jest wówczas duża szansa na to, że dostanie się coś smacznego.

Po drugie, musi być ciepło. Kot jest nierozerwalnie związany z ciepłem. W kocim języku nie ma określenia „za ciepło". Kotu nigdy nie jest za ciepło.

Po trzecie, powinno być miękko. Nie da się porządnie leniuchować, kiedy jest twardo w pupę.

Niestety, bardzo rzadko spełnione są te wszystkie warunki. Najczęściej, jak gdzieś jest ciepło, to nie jest cicho. Jak jest cicho, to nie jest miękko. Jak jest miękko, to nie jest ciepło. Mówię wam, żeby znaleźć porządne miejsce do leniuchowania, trzeba się sporo napracować!

Najfajniejsze wydaje się leniuchowanie przed kominkiem w dużym pokoju – oczywiście pod warunkiem że akurat pali się w nim ogień. Jest cieplutko, dobrze widać, kto wchodzi do kuchni. Niestety, rzadko kiedy jest tam spokojnie. Ledwie położysz swoją zmęczoną głowę, a już ktoś cię wyciąga z koszyka, głaszcze i przytula.

Na drugim miejscu plasuje się kuchnia. Z oczywistych względów – blisko do miski i lodówki, a w zimie podłoga jest ciepła – nie tak jak kominek oczywiście. Niestety, jest tam trochę twardo i raczej trudno o spokój, bo bez przerwy ktoś się tam kręci. Podobnie jest z łazienką.

Kolejne miejsce to piętrowe łóżko Marcela. Jest mięciutko i raczej spokojnie, ale – jak dla kota – zdecydowanie za zimno. Marcel lubi, gdy w pokoju jest chłodno, więc często otwiera okno i wietrzy pomieszczenie.

Za niezłą uznaję sypialnię rodziców Marcela. Na jej środku stoi ogromne łóżko, panuje cisza, a problem ciepła można rozwiązać, wciskając się pod kołdrę. Tylko rzadko kiedy można się tam dostać – drzwi zazwyczaj są zamknięte.

Nieźle sypia się w łóżeczku Maćka, ale to miejsce wysokiego ryzyka – można oberwać kapciem albo

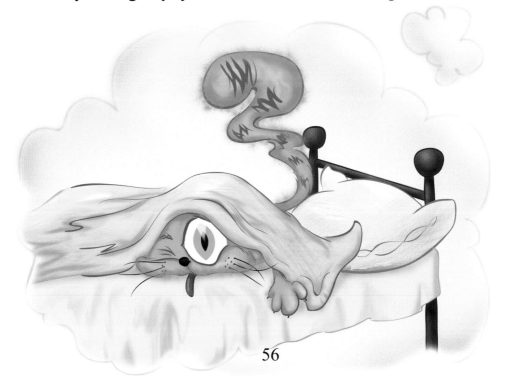

szmatą – podobno zostawiam tam sierść, a to szkodzi niemowlakowi

Pozostaje jeszcze parapet – ale on jest raczej odpowiedni na te dni, kiedy nie chce się spać ani też nic robić. Wtedy wskakuję tam i patrzę przez okno na świat. Parapet jest jednak wąski i twardy, choć ma wielką zaletę – pod nim znajduje się kaloryfer.

Jak widzicie, nigdzie nie jest doskonale. Nawet jak już znajdzie się wygodne legowisko, to kiedy już się umoszczę i zasnę, zaraz się nade mną rozczulają, wyciągają mnie z koszyka, przytulają i głaszczą.

Mimo tych wszystkich trudności wciąż poszukuję idealnego miejsca do spania i zajmuje mi to mnóstwo czasu. Ostatnio znalazłem całkiem niezłe pudło ze starymi ubraniami na strychu. Ma tę zaletę, że jest przytulne i jest w nim ciepło, nikt też tu nie zagląda, ale ma też wadę – na strychu znaleźć można mnóstwo interesujących rzeczy i zazwyczaj – zamiast spać i leniuchować – buszuję.

No i powiedzcie sami – czy szukanie takiego idealnego miejsca to jest „nicnierobienie"?

Naprawdę, żeby porządnie poleniuchować, najpierw trzeba się napracować.

Lotnik, kryj się!

– I właśnie wtedy Cukierek złapał tę młodą srokę – tata Marcela spojrzał na mnie ni to z potępieniem, ni to z litością.

Podniosłem głowę i rozdzierająco miauknąłem na potwierdzenie. Bandaż zsunął mi się z głowy i spadł na oczy. Przez chwilę usiłowałem uwolnić się z pułapki. W końcu się udało.

– Cierp ciało, kiedyś chciało – roześmiał się tata Marcela, poprawiając mi opatrunek. – Cukierek, a to przysłowie o kózce znasz? Gdyby nie skakała, toby nóżki nie złamała. Kto to widział, żeby samemu porywać się na przeważające siły przeciwnika i to jeszcze wyposażonego w lotnictwo. Jako podchorąży rezerwy powiem ci, Cukierek, że…

– Tato, miałeś opowiadać o tej złapanej sroce – zniecierpliwiony Marcel przerwał tacine wywody i pogłaskał mnie po grzbiecie. Miauknąłem, bo bolało mnie po prostu wszystko. – Tylko od początku i po kolei, bo nic z tego nie rozumiem…

– Zatem, kiedy poszliście z mamą i Maćkiem na spacer, a ja grabiłem liście w ogrodzie – zaczął tata – zobaczyłem, że… Cukierek wyszedł zza drewutni i zaczął się skradać. Mówię wam – był to widok godny filmu przyrodniczego – jakby lew na afrykańskiej sawannie podkradał się do antylopy. Ta gracja, to skupienie, te ruchy… Tylko brzuch, który tak ostatnio urósł naszemu Cukierkowi, lwi nie był zupełnie, bo szorował po ziemi.

Miauknąłem z oburzeniem. „Coś podobnego! Ja cierpię, a tu tylko żarty sobie stroją!".

– Nagle Cukierek zastygł w bezruchu, bezszelestnie podreptał w miejscu i skoczył – kontynuował tata Marcela. – Po chwili dostrzegłem, że trzyma w zębach młodą srokę, która zaczęła wrzeszczeć jak opętana. Rzuciłem więc grabie i z krzykiem ruszyłem w kierunku Cukierka, bo chciałem pomóc ptaszysku. Ale nasze lwiątko, jak mnie zobaczyło, od razu zrobiło w tył zwrot i w nogi! I chodu na drzewo! Na sam czubek! A sroka cały czas w zębach! I wydziera się niemiłosiernie!

59

„Jakby nie ty, toby do tego wszystkiego nie doszło – pomyślałem ze złością. – Właściciel się znalazł. Lepiej byś bandaż poprawił, bo znowu mi zjechał na oczy"

– I co, i co? – zapytał zniecierpliwiony Marcel.

– I nic – odparł tata. – Pobiegłem do garażu po drabinę. Wróciłem zziajany i przygotowany do akcji ratunkowej. Zastałem taki obrazek: Cukierek znowu na ziemi, sroka nadal w jego zębach skrzeczy wniebogłosy, a nad nimi krążą, wrzeszcząc jeszcze głośniej, inne sroki!

– Jak to inne sroki? – zdumiał się Marcel.

– Ano tak to – odrzekł tata. – Widocznie ta złapana wrzaskiem zaalarmowała koleżanki, które ruszyły na ratunek. Na nieszczęście Cukierka były to widocznie jakieś zaprawione w boju weteranki.

– Nic nie rozumiem! – Mama Marcela bezradnie rozłożyła ręce. – Możesz mówić jaśniej?

   – Bo, wyobraźcie sobie, co chwilę jakaś obniżała lot i dziobem łup! w Cukierka! W głowę, w grzbiet, w pupę! Gdzie popadnie!

   – I co, i co? – dopytywał bardzo przejęty Marcel.

   – I nic – roześmiał się tata. – Tego Cukierek najwyraźniej się nie spodziewał, bo stał przez chwilę, jakby mu nogi w trawnik wrosły, ale sroki nie wypuszczał z zębów. Pomyślałem, że teraz dla odmiany muszę ratować kota. I z krzykiem na niego i na te sroki.

„No właśnie, jakby nie ty, tobym sobie z nimi poradził" – pomyślałem z niechęcią.

– W końcu Cukierek chyba zrozumiał, że nie wytrzyma tego zmasowanego ataku lotniczego i że trzeba ratować skórę – ciągnął tata. – Srokę uwolnił i chodu do domu!

– A sroka? – zapytała z troską mama Marcela.

„Oburzające – pomyślałem. – Martwi się bardziej o to ptaszysko niż o mnie!".

– Sroka od razu odleciała na czubek najwyższego drzewa w ogrodzie – wyjaśnił tata. – Tylko się strachu najadła. Nic jej się nie stało. Czego nie można powiedzieć o Cukierku...

– No właśnie, co z Cukierkiem? – przerwał zniecierpliwiony Marcel.

– Najpierw szukałem go godzinę. A jak już znalazłem pod komodą, to nawet na niego nie krzyczałem, bo mi się zrobiło żal biedaka. Tak żałośnie wyglądał. Od razu go wsadziłem do klatki i pojechaliśmy do weterynarza. No, a tam już standardowo – zastrzyk przeciwtężcowy, woda utleniona, bandaże.

Na szczęście skończyło się na powierzchownych ranach, a pan doktor zapewnił, że do wesela się zagoi.

– Skaranie boskie z wami – westchnęła mama Marcela. – Na chwilę nie można was samych w domu zostawić.

– Najlepsze jest to – roześmiał się tata Marcela – że sroki wrzeszczały w ogrodzie jeszcze bardzo długo. Widocznie świętowały zwycięstwo. A jak potem zniosłem Cukierka na dwór, żeby się załatwił, to się od razu zleciały i zaczęły się z niego śmiać! Mówię wam, komedia!

„Dla kogo komedia, dla tego komedia" – pomyślałem z niechęcią.

– Trafiła kosa na kamień! – Dobry humor najwidoczniej nie miał zamiaru opuścić taty Marcela. – Zapamiętaj sobie, Cukierek, co powie ci podchorąży rezerwy wojsk lądowych: na wojnie z lotnictwem nie ma żartów!

Przegrałem bitwę, ale nie wojnę! Poczekajcie, sroki! Jeszcze pogadamy!

Mam cię!

Ten samochód zobaczyłem na naszej ulicy po raz pierwszy. Człowieka, który nim przyjechał, też.

Duże, czarne auto zaparkowało przy krawężniku i wysiadł z niego wysoki mężczyzna. Otworzył bagażnik, chwilę w nim pogmerał, a potem zaczął wyciągać jakieś pudła i wnosić je do domu sąsiadującego z naszym.

Zaciekawiony wychyliłem się zza płotu, gdzie czatowałem na pewnego bezczelnego szpaka (zadomowił się w okolicy i od dłuższego czasu grał mi na nerwach, nie dając się złapać). A może to włamywacz, taki sam jak ci w filmie kryminalnym, który oglądaliśmy wczoraj z Marcelem? Ale zaraz, zaraz… Czy włamywacz nie powinien raczej wynosić rzeczy z okradanego domu, niż je do niego wnosić? Nie byłem pewny, bo w czasie filmu przysnąłem… Tak czy inaczej, to była podejrzana sprawa! Trzeba się jej było przyjrzeć z bliska.

Tajemniczy mężczyzna wrócił do samochodu, zabrał kolejne pudło i idąc na ugiętych nogach, postękując, zaczął taszczyć je w stronę domu.

Korzystając z okazji, szybko przebiegłem ulicę i wskoczyłem do otwartego bagażnika. Tak, to musiał być włamywacz! W bagażniku odkryłem bowiem różne różności, jakie zazwyczaj ludzie gromadzą w domach: ubrania, książki, naczynia kuchenne, kwiatki…

A więc złodziej! Złapałem złodzieja na gorącym uczynku!

Nagle w otwartych drzwiach zamajaczył jakiś kształt. Bandyta wracał!

A jeśli zrobi mi coś złego, kiedy dowie się, że go zdemaskowałem?

Wspomagany strachem, z głośnym miaukiem, z roz-capierzonymi pazurami, skoczyłem w stronę zbira. Kompletnie go zaskoczyłem, bo wrzasnął, upuścił z rąk

paczkę i zaczął uciekać w kierunku okradanego domu. Błyskawicznie prysnąłem w drugą stronę, pod rosnący w naszym ogrodzie krzak bukszpanu.

Nieznajomy zatrzymał się pod drzwiami, łapiąc oddech i trzymając się za serce. Ha! Mam go! Nieźle go przestraszyłem! Teraz przestanie kraść i ucieknie, gdzie pieprz rośnie!

Nic z tego.

Złodziej zgiął się wpół, wybuchnął śmiechem i wrócił do otwartego samochodu. Nie przestając się śmiać, ostrożnie przeszukał bagażnik. Głupi, bał się, że znowu z niego wyskoczę?

Szybko wrócił do wyciągania kolejnych pakunków i wnoszenia ich do domu.

Oburzające. Cóż za bezczelny typ!

Obserwowanie złodzieja znudziło mi się, więc sobie poszedłem. Mam ważniejsze sprawy na głowie niż pilnowanie prawa i porządku na ulicach!

Do wieczora zdążyłem zapomnieć o zajściu, ale kiedy po wielogodzinnej włóczędze po okolicy wróciłem do domu, tata chrząknął znacząco i powiedział:

– Dzisiaj na naszej ulicy o mało nie doszło do zbrodni!

Zastrzygłem uszami znad miski. Miałem rację! To był włamywacz!

– O czym ty mówisz? – zapytała mama Marcela.

– Rano do domu naprzeciwko nas wprowadził się nowy właściciel. Bardzo sympatyczny zresztą. Wyobraź sobie, że kiedy zaczął wnosić swoje rzeczy, coś nagle z okropnym wrzaskiem wyskoczyło na niego z bagażnika! Podobno o mało nie przypłacił tego zawałem serca. Pomyślał, że to szczur, dopiero potem dotarło do niego, że ten rzekomy gryzoń jest od przeciętnego szczura trzy razy większy i pręgowany... Znasz jakieś grube, pręgowane szczury w okolicy, Cukierek?

Takie, co to włażą do otwartych samochodowych bagażników i potem z nich nagle wyskakują?

Zrobiłem wielkie oczy i niewinną minę.

– A ty skąd o tym wiesz? – dociekała mama.

– Bo mnie zagadnął, ostrzegając ze znaczącym uśmiechem, że ten „szczur" pobiegł w stronę naszego ogródka i schował się pod krzakiem bukszpanu. Od razu się domyśliłem, co to za „szczur". Myślałem, że

się spalę ze wstydu. No ale, jak powiedziałem, nowy sąsiad jest bardzo sympatyczny. Gdy już ochłonął, śmiał się sam z siebie do rozpuku…

Udając, że sprawa w ogóle mnie nie dotyczy, dokończyłem kolację i powoli, ostentacyjnie wyszedłem na zewnątrz.

Na parkingu przed domem nowego sąsiada coś – małego i bardzo ruchliwego – cicho piszczało i szurało. To ten bezczelny szpak! Oj, czekaj, bratku… Zaraz cię wystraszę…

Zacząłem skradać się w kierunku tajemniczych odgłosów i już byłem przy płocie, kiedy zza furtki wyskoczyła nagle jakaś straszna postać i rycząc wniebogłosy: „Hu! Hu! Hu!", ruszyła w moją stronę.

Wrzasnąłem, podskoczyłem ze strachu i uciekłem pod krzak bukszpanu.

– Mam cię! – nowy sąsiad stał na ulicy i śmiał się tak głośno, że aż dostał czkawki.

A to się odgryzł!

Spis treści

Czy znasz już pierwszą część przygód kota Cukierka?

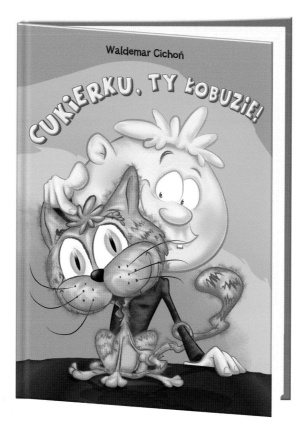

Czy mały pręgowany kotek może wywrócić czyjeś życie do góry nogami? Tak, jeśli tym kotem jest Cukierek! Nie dajcie się zwieść imieniu. To słodkie futrzane utrapienie ceni sobie swobodę i dobrą zabawę. A od kiedy stał się równoprawnym członkiem rodziny Marcela, na światło dzienne wyszły jego kolejne kocie talenty! Jakie? Najlepiej, jak Cukierek sam Wam o wszystkim opowie...

Skład i łamanie
Grzegorz Działo

© **Publisher**
Wydawnictwo Dreams
www.dreamswydawnictwo.pl

Druk
Rzeszowskie Zakłady Graficzne S.A.